Gallimard Jeunesse / Giboulées sous la direction de Colline Faure-Poirée

© Gallimard Jeunesse, 2000
ISBN : 2-07-051926-0
Premier dépôt légal : mai 2000
Dépôt légal : février 2004
Numéro d'édition : 318
Loi n°49956 du 16 juillet 1949
sur les publications destinées à la jeunesse
Imprimé en France par **Partenaires-Livres**® (JL)

Antonin le Poussin

Antoon Krings

GALLIMARD JEUNESSE / GiBOULÉES

Blanche était une vraie mère poule, toujours inquiète pour ses petits. La pauvre craignait tellement d'en perdre qu'elle les comptait, les recomptait et les appelait sans cesse en caquetant : « Restez près de moi, mes chéris, ne vous éloignez pas et surtout prenez garde au chat. »

Or, ce matin-là, le chat rôdait près du poulailler, et un poussin avait disparu… Affolée, Blanche se mit à battre des ailes avec grand fracas. Le bec ouvert, l'œil rond, elle gloussait à s'étrangler :
« Le chat a pris mon petit ! Le chat a pris mon petit ! »

En un instant, il y eut un vacarme
incroyable. Les animaux de la basse-
cour couraient dans tous les sens,
reprenant avec effroi : « Le chat a mangé
son petit ! Le chat a mangé son petit !»
Et, l'apercevant soudain tapi derrière
la remise, ils se précipitèrent sur le triste
sire qui, crachant comme un diable,
le poil tout hérissé, sauta par-dessus
la haie.

Loin de ce spectacle qu'il avait bien innocemment provoqué, un petit poussin, petit poucet, s'aventurait dans le jardin en jetant quelques graines sur son chemin. La nature était pleine de bruits légers qui semblaient lui murmurer : « Par ici Antonin, par ici mon poussin », et de petits oiseaux qui le suivaient en disant : « Merci, mon poussin, merci, Antonin. »

«Pas de quoi», répondait-il d'un ton insouciant. Et puis, après un instant de réflexion, il ajouta, en se retournant :

– Mais de quoi ?

– Mais de tout ! s'exclama Bruno le moineau. C'est pas un bonheur de casser la graine entre amis ?

– Oh, mes graines ! gémit Antonin. Comment je vais faire maintenant pour retourner chez moi ?

– T'en fais pas, dit alors Bruno. On la retrouvera, ta maison… Allez, n'y pense plus et continue à semer.

Le piaf lui parlait d'une voix si affectueuse qu'Antonin se sentit rassuré et se remit de nouveau à trottiner.
Ils avancèrent ainsi, le premier semant, les seconds picorant ; et quand il n'y eut plus de graines, Bruno et ses amis s'envolèrent sans dire au revoir.

«Attendez-moi ! Attendez-moi !» cria Antonin, qui aurait tant voulu les suivre. «Bah, je trouverai bien d'autres amis», dit-il en voyant ramper un ver de terre. Mais Albert n'avait aucune envie d'être son ami. Dans sa famille, on avait toujours eu horreur des gallinacés. C'est pourquoi il se sauva ventre à terre avant même que le poussin ne puisse lui adresser la parole.

Antonin continua donc à se promener dans le jardin en fredonnant fièrement : «Tra-la-la, tra-la-lère !» Seulement, comme il ne rencontrait personne sur son chemin, au bout d'un certain temps, il se crut perdu et fondit en larmes.

– Pourquoi pleures-tu ? demanda Mireille, quelque peu intriguée par cette grosse abeille qui ne portait pas de rayures.

– Je veux rentrer à la maison, sanglota Antonin en la regardant de ses petits yeux brillants.

– Ne pleure pas, lui dit l'abeille gentiment. Tu n'es pas perdu, j'habite juste là.

Elle le prit par la main et le fit entrer dans sa maisonnette pendant que les moineaux, de retour au jardin, chantaient d'un ton railleur :

Mon petit poussin
A bien du chagrin,
Il ne chante plus,
Il ne saute plus
Dans mon jardin.

Mireille, qui ne savait que faire pour le consoler, lui enfila un pull rayé :
– Comme ça, lui dit-elle, tu auras l'air d'une vraie petite abeille.

Mais, tout étriqué dans son tricot,
le petit poussin resta dans son coin sans
bouger. Ce qui attrista Mireille, qui
comprit enfin qu'Antonin pensait à sa
maman, et qu'il avait terriblement envie
de la revoir.

Elle décida donc de le raccompagner
chez lui, au poulailler.
Et ce retour fut pour Antonin une
merveilleuse promenade à travers
le jardin, pleine de chants joyeux et
de têtes en l'air.
Et tra-la-la et tra-la-lère…